대명사 선망

'대명사 선망'은
하버드대 언어학과
칼 왓킨스[1] 교수가
1971년 11월에
만든 말

하버드 신학대
여학생들이 품은
어떤 관심을
헐뜯기 위해서였다.

"신이 '그(He)'이고
모든 사람이
'인류(mankind)'인
세상에서

우리가
약간의 관심이라도
받을 기회는 얼마나 있나?"가
그들의 질문인 듯했다.

칼 왓킨스—
참 대단한 인내력이지—
이렇게 말하지 않았다 "너희, 소문이나 퍼뜨리고 뉴스 나부랭이나
우물거리면서 괜히 참견해서 판 깨고 꼬투리나 잡으면서 분위기 망치는

헤살꾼들!"

대신에 이렇게 말했지
대명사 자체가
비난받을 이유는 없다. 문제는
인도유럽어족의 지정 체계다.

남성을 지정되지 않는
성별로 여기는
이진(二進) 체계.
마치 세상의
모든 창조물이 지퍼

아니면 올리브라는 듯이,
하지만 문제는
까마득한 옛날 기원전 5000년
인더스계곡에서 우리가 결정했다지
그걸 지퍼와

비(非)지퍼라 부르기로.

1971년 즈음
비지퍼들이
들썩거리고 있었다.
그들은 카주²를 들고

강의실에 들어가기 시작했다
특정 대명사와
남성형 총칭어를 몰아내기 위해.
이제 카주는

장난감, 소음발생기다.
그것이 그 장소의
공기를 빡빡 닦아낸다.
그렇게

닦인 공기 조각으로
무엇을 할 수 있지?
다양한 일.
신조어로 채울 수도 있다.

아니면 재해석들로. 아니면
'외적응'[3]으로.
외적응을 탐험해
보도록 하자. 외적응은
바깥 방향으로 적응하기.

시조새라 불리는
공룡의 그림을
본 적이 있을 것이다.
깃털이 있지만

날지 않는 공룡.
그 깃털은 시조새를
따뜻하게 해주었다.
그러는 사이 사방에서

얼음이 녹고 있었다.
보온을 위한
깃털이
거추장스러워졌다.

어느 날 밤
시조새는
제 깃털들을 외적응했지, 날개로
그리고 저기

하버드 캠퍼스에서는
신학대생들이
급발진했고,
모든 것을 바꾸었고,

아무것도 바꾸지 못했고,
달 아래로
솟아오르고 또 선회하고,
의도했지(의심의

여지 없이) 절대 돌아오지 않겠다고
하지만 당연히
그건 불가능으로 판명났다.
그들은 돌아왔고,

그들은 학위를 마쳤고,
그들은 자기 날개를 이용해
신학대 건물 뒤에 있는
커다란 하키 경기장에서

사방으로 대명사를 갈겨댔다.

밤의 한기가
내 이마에 몰아치고
감정의 영역이
턱 밑까지 차오른다

그 경기들을
떠올릴 때면.
하지만 이건 체계는
2루에서 숫자를 사용하기에,
그 차이를 표현하기 위해

요구하는 건 오직
0과 1뿐,
우리는 우리 경기 점수를
추문과 슬픔에 기록해야 했고,

텅스텐 가로등 불빛과 길게
굽이치는
길들에, 신부의 의상을 입은,
처녀다운 마음을 지닌, 도둑맞은,
바람에 이끌린, 대리석처럼
변함없는

놀라움에 상처 입은, 왔다 갔다

상충하는, 끝이 없는 세상에
우리 스스로 만들어낸
표식들을 새겨야 했다.
그리고 지금까지도

신학대 건물 뒤를 보면
(그리고 무엇을 봐야 하는지
안다면)
희미한 표식들의

흔적을 볼 수 있으리라.
여기
무엇을 보아야 하는지 알려주겠다.
한쪽 귀를 접은 채

말없이 선

조랑말 한 마리.
제 안에
포획물 한 점을 품은 듯하다.
그것은 고개를 흔들고

밤과
캠퍼스와 거기
양도 가능하거나 양도 불가능한
무언가에 흠뻑 젖은 네게서는 온통

새 턱시도
같은 냄새가
난다.

¹ 칼 왓킨스(Calvert Watkins, 1933 – 2013)는 미국의 언어학자이자 문헌학자로 하버드대 교수였다. 1995년에 출간된 『용을 죽이는 법 – 인도유럽어족 시론의 양상들』로 비교언어학의 정형적 연구 방식을 수립했다고 일컬어진다.

² 카주(Kazoo)는 미국에서 발명된 초소형의 피리형 악기로 연주자가 내는 소리를 증폭시키며 웅웅거리는 음색을 더해준다. 연주기법에 따라 색소폰이나 하모니카와 같은 음색을 내기도 한다. 근래에 들어서는 스포츠 경기 등에서 응원용 악기로 자주 쓰인다.

³ 외적응 또는 굴절적응(exaptation)은 어떤 형질이 원래의 진화 의도와 다른 용도로 쓰이도록 나중에 적응된 현상을 이르는 생물학 용어로 언어학 등에서도 차용된다.